burquette

francis desharnais

burquette

[strips]
Les 400 coups

burquette

a été publié sous la direction de Jimmy Beaulieu.
Correction : Louise Chabalier

ISBN 978-2-89540-366-1

Diffusion au Canada : Diffusion Dimedia inc.
Diffusion en Europe : Le Seuil

Nous remercions le Conseil des Arts du Canada de l'aide accordée à notre programme de publication et la SODEC pour son appui financier en vertu du Programme d'aide aux entreprises du livre et de l'édition spécialisée.

Nous reconnaissons l'aide financière du gouvernement du Canada par l'entremise du Programme d'aide au développement de l'industrie de l'édition (PADIÉ) pour nos activités d'édition.

Gouvernement du Québec — Programme de crédits d'impôt pour l'édition de livres — Gestion SODEC

Dépôt légal — 1er trimestre 2008
Bibliothèque et Archives nationales du Québec
Bibliothèque et Archives Canada

Imprimé au Canada sur les presses de Marquis Imprimeur

Catalogage avant publication de Bibliothèque et Archives nationales du Québec et Bibliothèque et Archives Canada

Desharnais, Francis, 1977-

Burquette

(Strips)
Bandes dessinées.

ISBN 978-2-89540-366-1

I. Titre.

PN6734.B88D47 2008 741.5'971 C2008-940333-9

Introduction

Le projet *Burquette* a débuté il y a environ quatre ans, à Paris, pendant que le débat sur le port de signes religieux à l'école faisait rage. Il se termine alors qu'un débat similaire sur les accommodements raisonnables secoue depuis plus d'un an le paysage médiatique et politique du Québec. En quatre ans, ici comme en France, toutes les gammes d'opinions tant chez l'homme et la femme de la rue que chez l'artiste, le politicien ou l'intellectuel, se sont faites entendre.

Cette bande dessinée parle de choc des cultures, de nos perceptions et de celles des nouveaux arrivants. Elle ne prétend pas amener la moindre solution, ni même dénoncer quoi que ce soit. Elle servirait davantage à prendre du recul pour permettre de voir les choses d'une perspective différente. Un exercice sûrement utile à ceux qui, comme moi, n'ont souvent que l'actualité quotidienne comme regard sur un phénomène international aux implications déterminantes.

En terminant, j'aimerais évoquer un des aspects qui me tenaient le plus à cœur pendant le processus créatif, soit de mettre à l'avant-plan un certain type d'immigrant : celui qui souhaite vivre en paix, partager ses valeurs et sa culture d'origine avec nous, sans les imposer. Même s'il ne fait pas beaucoup parler de lui, je suis convaincu qu'il correspond à la majorité de la population des nouveaux arrivants. J'espère aussi que nous sommes une majorité de souche, médiatiquement silencieuse, qui souhaite vivre en paix, partager ses valeurs et sa culture sans avoir peur de les perdre.

francis desharnais

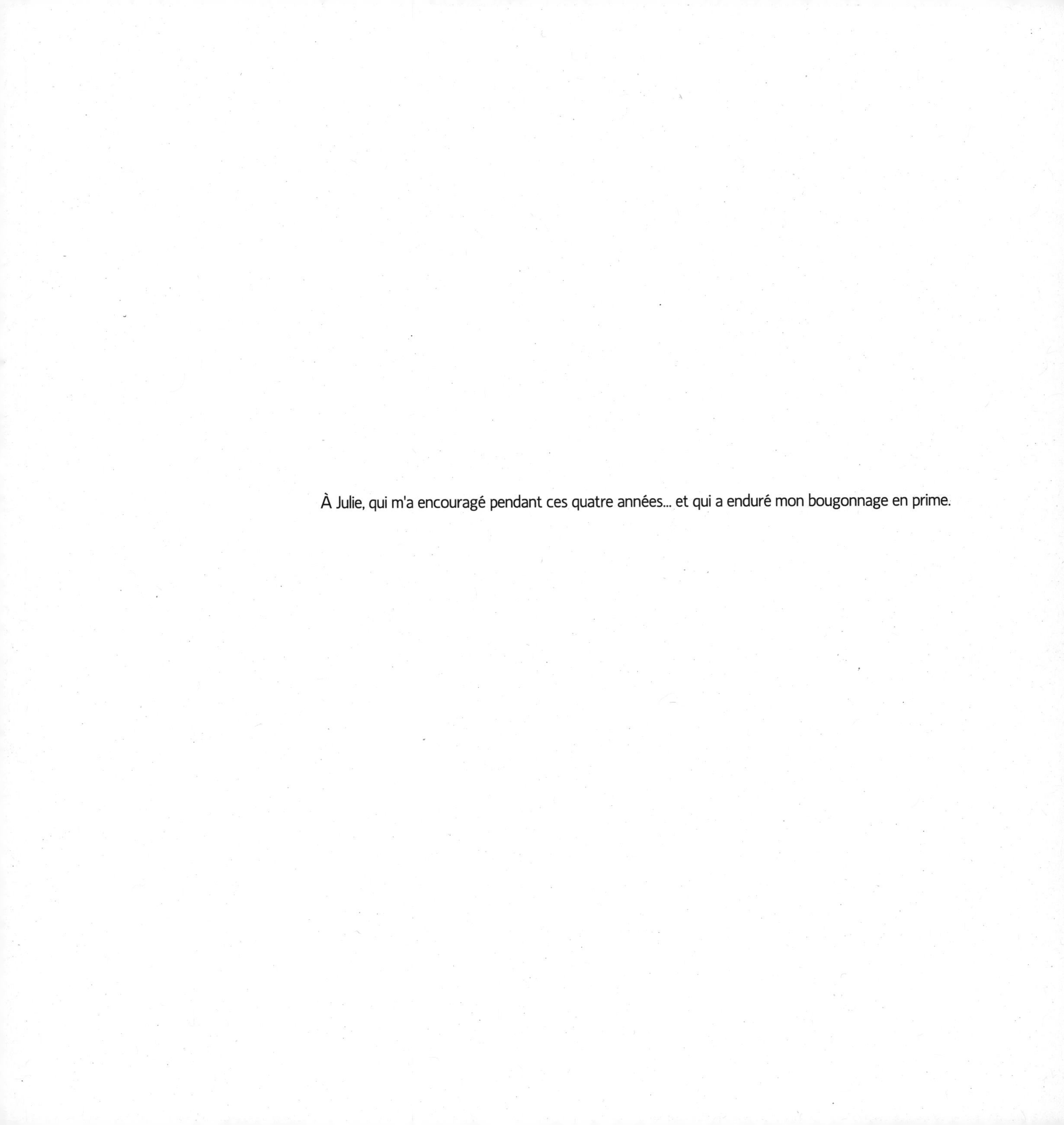

À Julie, qui m'a encouragé pendant ces quatre années... et qui a enduré mon bougonnage en prime.

Encore un article refusé... Le 15e en deux mois.

Ce n'est pas à ce rythme-là que je vais devenir un intellectuel reconnu...

Encore moins avec des commentaires comme : « Vos idées sont tellement néfastes que nous croyons risqué de composter le papier où elles ont été couchées.

Ma fille Alberte... Un chef-d'oeuvre de superficialité.

J'ai pourtant tout essayé pour lui ouvrir l'esprit!

Qui aurait cru que de lui lire Jean-Paul Sartre avant de se coucher la mènerait à Justin Timberlake!

Si au moins je pouvais amener ma fille à réfléchir davantage sur la condition humaine.

J'aime encore mieux être le père d'une grande intellectuelle que rien du tout.

Du moment que j'apparais dans sa future biographie...
bien évidemment...

Nous sommes fiers de remettre ce prix Nobel à Alberte pour l'ensemble de son oeuvre!
Avant de vous remercier, je souhaiterais que vous ovationniez mon père. C'est lui qui m'a sortie de l'enfer de la culture de masse et de la musique pop!
PAPA!
PAPA!
RÉVEILLE, PAPA! Il faut que tu m'amènes à mon entraînement de cheerleader.
zzz merci... zzz c'est rien

Il lui faudrait un choc brutal...

Quelque chose qui transformerait radicalement sa vie.

Un peu comme l'a fait ma calvitie.

Hum... C'est à ce genre de réalité qu'Alberte devrait se sensibiliser.

Parfois je me fais peur d'avoir de bonnes idées aussi malsaines.

ALBERTE!
Viens ici! J'ai une surprise pour toi!

Ça s'appelle une burqa. Tu vas devoir la porter pendant un an.

J'espère ainsi calmer ta superficialité.

Je ne vois pas en quoi un drap en ratine va changer quelque chose?
Surtout que je dors mieux dans des draps de coton.

Tu sais, il y a des milliers de femmes dans le monde qui n'ont pas le quart de ce que tu as. En plus, on les oblige à vivre recluses et à se couvrir entièrement

Je crois que cette expérience t'aidera dans ton développement psycho-social.

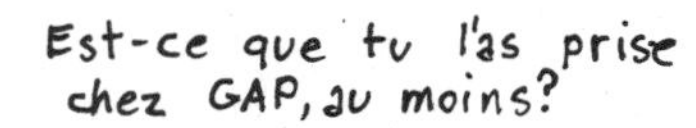
Est-ce que tu l'as prise chez GAP, au moins?

Avec un peu de chance, ça va faire partie de la collection printemps/été de Vogue!

Je sors! Je vais rentrer ce soir!
Et ta burqa?

Quoi, ma burqa?!
Si tu veux sortir, tu dois la porter.
Pourquoi?
Parce que c'est comme ça...

Ben, c'est un peu comme si je l'avais... Mais que je l'avais raccourcie à la taille...
Et augmenté un tout petit peu le décolleté...

JE VEUX SORTIR!

Je ne t'empêche pas de sortir, seulement tu dois mettre ton voile!

Et je suppose que je suis TRÈS chanceuse de pouvoir sortir?
Exactement!

Tu sais, papa, sous ce drap et derrière ce grillage je me sens inexistante, sans identité. Je crois que j'arrive à comprendre ce que vivent les femmes dont tu parles.

C'est très bien, ma chérie. Ça prouve que la leçon porte fruit.
Dans un an tu vas être un chef-d'oeuvre de profondeur humaine.

HEY! J'AI FAIT UNE SUPER BELLE PHRASE! J'AI LE DROIT D'ENLEVER LE DRAP!!

Allez! Tu vas être en retard à ta soirée...

Et amuse-toi bien!
Crétin!

Une heure de maquillage pour rien.

Une chance que je n'ai pas à prendre l'autobus pour me rendre.

Ouain... bon.

Je pense que je vais commencer une collection de gueules ahuries.

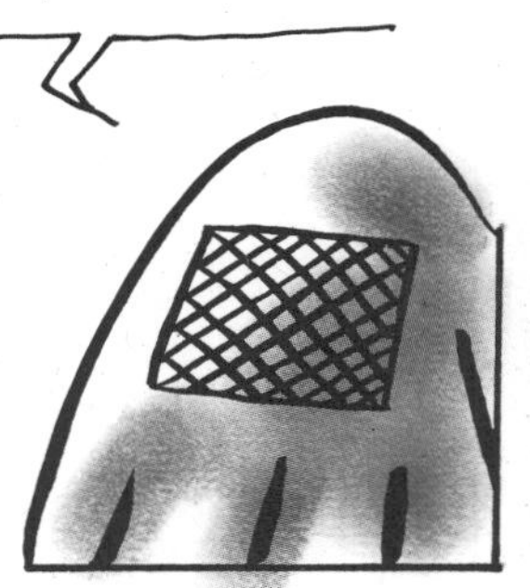
Mon père veut que je porte ça pendant un an.

J'ai pas trop compris pourquoi.

Peut-être qu'il espère que tu te transformes en papillon?

Cette fois ton père s'est surpassé dans les combines étranges.

Dis Alberte, est-ce que ça te plairait d'aller t'enchaîner à un arbre avec sept ou huit militants?
Bof... Les partouzes sado-masochistes écologistes c'est pas mon fort.
Manu Chao

Tu sais, j'ai beaucoup de respect pour la culture musulmane.
Je ne suis pas musulmane.
MANU CHAO

Ah!? Mais j'ai aussi beaucoup de respect pour le peuple arabe.
Je ne suis pas arabe.
MANU CHAO

Tu sais, moi je respecte beaucoup la foi et...
BON BEN RESPECTE MA FOI EN MTV! Et laisse-moi écouter les vidéos en paix.
MANU CHAO

MANU Chao

...
100% coton
MADE IN CHINA!
MANU Chao

C'est là qu'on voit ton vrai visage...
Espèce de capitaliste exploiteuse d'enfants.
?
MANU Chao

Pfff... Tu parles d'une soirée.

Je ne vois pas ce qui peut être pire que ce soir...

À part demain, après-demain, après-après-demain, après-après...

MAIS JE NE PEUX PAS ALLER À L'ÉCOLE COMME ÇA !

Ça va être difficile au début, mais tu vas rapidement t'y faire.
ÉCOLE

Et eux? Ils vont s'y faire quand?
ÉCOLE

C'est pas juste.

Ce gros drap laid attire plus l'attention que ma belle petite jupe courte.

S'il pense que je vais garder ça en classe...

HEM! HEM!

Tu vas voir, un jour tu me remercieras de...
D'avoir recouvert ma cote de popularité? JAMAIS!

si je comprends bien, vous êtes ici pour obliger Alberte à porter sa burqa?
oui!

Vous devriez rester pour mon cours d'histoire.

On y parlera de la frustration sexuelle chez les eunuques.

Une dernière chose: j'ai demandé à Germain de me prévenir quand tu ne porteras pas ton voile à l'école.

Monsieur, vous m'aviez promis un iPod!

Pas d'abaisser ma popularité davantage!

Mais qu'est-ce que je t'ai fait pour que tu me dénonces à mon père?!

C'est plutôt ce que t'as pas fait...
STAR WARS

...à ta fête il y a deux ans.
Non!
C'est le règlement!

C'est en tant que directrice et ex-psychologue que je vous parle.

Je dois essayer de déterminer si vous êtes un nouveau type de prédateur sexuel...

ou un type de macho à l'ancienne.

...Mme la directrice, laissez-moi poursuivre mon expérience avec Alberte et je ferai un généreux don à la caisse de retraite des professeurs.

C'est une attitude assez inattendue de la part d'un homme de gauche tel que vous.

Oh, vous savez, je n'ai jamais obligé mon argent à suivre mes convictions...
Je fais le chèque à l'ordre de qui?

Suite à certains évènements récents, j'ai décidé de modifier mon plan de cours.

Nous étudierons en détail l'histoire du mouvement de libération de la femme.

...Est-ce que je devrais me sentir visée?

Ben quoi! Alberte se déguise bien en conduit de ventilation!

...J'haïs ça quand ce prof-là fige à côté de moi.

Est-ce qu'il y a quelque chose qui ne va pas?

Je n'aurais jamais pensé qu'une burqa pouvait autant enflammer mon imaginaire!
beurk!

C'est vraiment horrible que ton père t'oblige à porter ça!

Le pire...

c'est que ça te grossit terriblement.
Parle-moi-z-en pas!

AAAAAAh
AAAAAA

Mais je vous jure que je ne fais qu'espionner Alberte.

Euh... Salut...

?

C'est quoi l'affaire? Tu veux plus qu'on te déshabille du regard?

Mon ex ne veut plus me parler.
Qu'est-ce qui te fait dire ça?

Ce matin je lui ai dit bonjour...

et il ne m'a pas traitée de salope comme d'habitude...

Pourquoi tu ne veux plus me parler?

Ben, avant t'étais cool. T'avais l'air de sortir d'un vidéo de Christina Aguilera!

Mais là... On dirait plutôt un reportage de Bernard Derome.

Hé! Tu ne peux pas m'en vouloir d'éprouver un malaise devant une handicapée du style.

كلمة السر

يتحدر ل مشاعر أهل القرية ف موزيق وكانوا يرمون النقاب وأسلحة نفرى. في كل مره

أبو شامية.
euh... chish taouk!
ouf!

CHANCEUSES!

Au moins vous avez un choix de modèles et de coloris!

Tu ne passes pas Halloween cette année?
Non! Pas le goût.
DING
DONG
Comme c'est émouvant de te voir quitter le monde de l'enfance...
Pas rapport!

C'est juste que le choix de costumes était nul au magasin...
UNICEF

Pardonnez-moi, mon père, parce que je ne me suis pas confessée depuis longtemps.
?

Mais je suis heureuse que vous ayez installé ces guichets-confessionnaux dans le quartier.

Une autre semaine de fou de terminée... Il te reste encore beaucoup de dossiers à réviser?
En fait, j'attends ma fille pour partir.

Allô, papa!

bec bec

Euh... Finalement tu as décidé de faire un peu de temps supplémentaire?

Discuter de ce que je fais à ma fille autour d'un verre? D'accord, juste un instant.

Qu'est-ce que tu fais?

Je révise mes arguments!

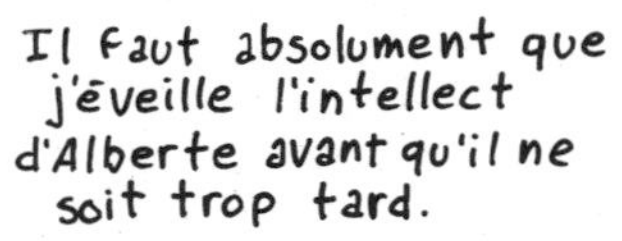
Il faut absolument que j'éveille l'intellect d'Alberte avant qu'il ne soit trop tard.

MAIS POURQUOI DOIS-TU LUI IMPOSER LA BURQA!

Je l'avais bien inscrite au Parti communiste, mais elle n'allait jamais aux réunions!

Émile Zola, George Sand, Charles Bukowski, Victor Hugo, Albert Camus.

Tous, ils ont eu une enfance difficile.

Je veux qu'Alberte ait la même chance.

Les Occidentaux ont emprunté le bouddhisme et les sushis aux Asiatiques.

La Salsa et le tango aux Sud-Américains, le boomerang aux Aborigènes australiens.

Je ne comprends pas pourquoi je n'aurais pas le droit, moi aussi, de faire un simple emprunt culturel!

...Tu oses appeler ça un «simple emprunt culturel»!

Mais oui! Ce n'est que pour lui mettre un peu de plomb dans la tête.

J'espère que tu sais que c'est exactement ce qui arrive aux femmes qui refusent de porter la burqa.

Tu veux qu'Alberte saisisse le drame de la burqa?
Euh... oui!

Mais tu vides ce phénomène de ses significations religieuses, culturelles et symboliques.

Faire entrer un cheval dans une coquille n'en fait pas un escargot, tu sais.

Réponds-moi sincèrement...

Es-tu misogyne?

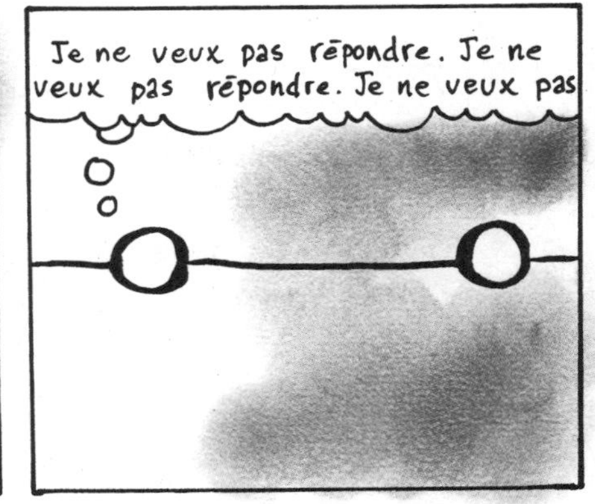
Je ne veux pas répondre. Je ne veux pas répondre. Je ne veux pas

Elle, elle n'a vraiment pas l'air bien dans sa peau!

Est-ce que je peux manger avec toi?
Bien sûr!

C'est fou ce que peuvent changer quelques centimètres de tissu en plus...

Mais pourquoi tu ne te révoltes pas plus que ça?

Ben... Comme ça, je n'ai pas à me forcer pour me faire remarquer.

On devrait fuguer!
?

Comme ça, tu n'aurais plus à porter le voile et ton père comprendrait à quel point tu es malheureuse.
Et toi? Pourquoi tu fuguerais?

Je crois que ça pourrait bien paraître dans mon c.v.

Si tu veux, on pourrait

GÉNIAL!!

J'aurais jamais cru qu'une fille aussi mal habillée que toi puisse avoir d'aussi bonnes idées.

Merci de te préoccuper de tout ce qui m'arrive.

Tu as l'air de bien comprendre ce que je vis.

Mieux que moi, si ça se trouve...

Tu n'es pas obligée de garder ta burqa à table, Alberte.
SCANDAL

FASCISTE! POURRI! VICIEUX! CRÉTIN! MASCULINISTE!

Si t'étais mon père, je te ferais avaler ta burqa.

Je déchirerais tes cartes de crédit, je brûlerais ta bibliothèque, je casserais tes cd, je piétinerais tes fleurs et je cracherais sur tes déclarations d'impôt!

Si tu étais ma fille, tu n'aurais pas un sou d'argent de poche.

BÉRURIER NOIR

J'ai parlé de toi avec notre voisin algérien cet après-midi.
Ah?!

...Monsieur, je n'ai pas fui les barbus de mon pays pour retrouver les mêmes horreurs ici...

Mais après, je ne me rappelle que les points saillants de son argumentation.

MONSIEUR! MONSIEUR!

Merci d'avoir pris ma défense!
Oh! C'est rien. Mais je regrette de l'avoir frappé!
Pourquoi?

Ça va encore nous faire de la mauvaise publicité!

Tu veux prendre le thé? Je vais te présenter à ma femme.
D'accord!

C'est toi la petite qui porte la burqa? Tu sais, moi je ne mets même pas le voile...
Ah bon?!

Je ne crois pas que ma foi puisse prendre froid ou s'envoler avec le vent!

Tu sais, il y a des musulmans qui disent que l'islam prône l'amour et la tolérance...

Je vais te dire un secret...

Il y en a qui le pensent vraiment!

Voici Kader, notre neveu Kabyle qui vient tout juste d'arriver.
Allo!

Ça fait du bien de voir une jolie fille...

Le conteneur dans lequel je suis arrivé en était dépourvu.

MASSAGE
CARDIAQUE
GUIDE PRAT

Pourquoi lis-tu cela, Alberte?
MASSAGE
CARDIAQUE
GUIDE PR

Ça peut servir pour quand ton grand-oncle curé va me voir habillée comme ça!
MASSAGE

ALBERTE?! Ah ben dis donc!

Une chance qu'on n'est pas v'là mille ans pendant les croisades.

On aurait été obligés de s'entretuer.

Je suis fier que tu aies enfin la foi.

Mais bon...

J'aurais quand même préféré que tu sois dans mon équipe.

Voici soeur Aglaë, qui a fait voeu de silence.

Voeu de silence!...
Et l'ouïe?

Avez-vous le droit d'écouter Ricky Martin?
Mais c'est horrible!

J'aimerais beaucoup que l'on prie ensemble. Moi Jésus, toi Mahomet.

Je crois que La Mecque est par là...
Non...
Attends...

Si le nord est par là, alors l'Arabie Saoudite est par...
Là?
Non...
T'es mieux de me souffler les prières.

L'excision, cette terrible opération consistant en l'ablation du clitoris...

a encore lieu dans de nombreux pays, principalement africains.

MAMAN!
Beuh! j'ai rien dit.

Woh! Le drap, je peux toujours m'y faire, mais je ne me laisserai pas couper le clitoris quand même.

J-LO

Surtout que je commence à peine à en comprendre le fonctionnement!

Je ne suis pas supposée revoir Maman avant quatre ans, mais là, je n'en peux plus...

Avec un père qui n'aime pas ma musique, mes revues... euh... mon maquillage...

Il y a autre chose qui m'énerve chez lui...
c'est quoi déjà?...

Ça y est!
Je fugue!
Super!

Tu veux venir avec moi?
Tout de suite!

MAMAN! JE PARS FAIRE UNE FUGUE!
?
D'ACCORD!

C'est pas dangereux de faire du pouce pour deux filles?

L'important c'est d'avoir quelque chose pour se défendre.
Comme quoi?

J'ai apporté un manuel de karaté qu'on peut consulter en cas de besoin!

Enfin!
Une voiture.

Où est-ce que vous allez, mes belles poulettes?

Est-ce que tu aurais une burqa de rechange à me prêter?

Est-ce qu'on pourrait mettre mon CD de Destiny's Child?
J'ai mieux: les Dead Kennedy's.

Destiny's Child
Dead Kennedy's
DESTINY'S CHILD
DEAD KENNEDY'S
DESTINY'S CHILD
DEAD K

Vous êtes sûres d'être des amies?
On va y aller pour Mozart.

Bon! Maintenant que tu es arrivée, je vais retourner chez moi.

...Mais je croyais qu'on fuguais ensemble?

C'est que ma maman m'interdit de fuguer plus de huit heures d'affilée.

Enfin! Je suis arrivée à son travail. J'espère que je vais la trouver.
OH! C'EST ELLE!

MAMAN! MAMAN!
ALBERTE?!

À ce que je comprends, ton père ne s'est pas tellement amélioré!

J'ai rencontré ton père au département de sciences sociales à l'université.

On s'entraidait beaucoup pour l'écriture de nos mémoires de maîtrise...

Le mien portait sur « l'approche structuraliste des féministes hongroises au XIXe siècle ».

J'étais une féministe assez active, il y a quinze ans...

...mais je ne l'étais jamais assez au goût de ton père...

Quand il a voulu faire l'amour en lisant des chroniques de Lise Payette, j'ai décroché!

Pour l'emmerder, j'ai commencé à me maquiller et à m'habiller de plus en plus sexy...

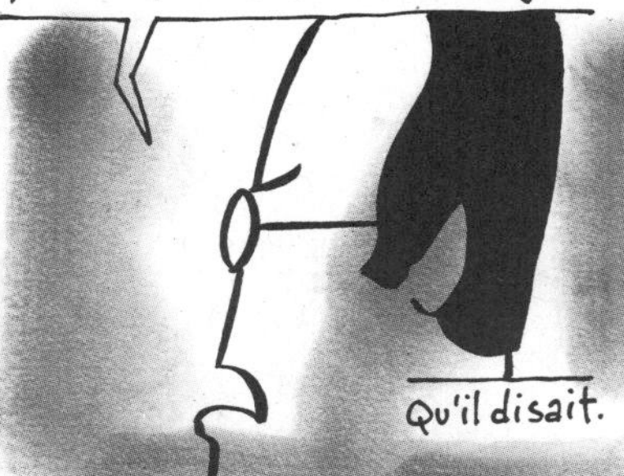
J'ai honte de me montrer en public avec une femme-objet!
Qu'il disait.

Ça ne serait pas plutôt ta «réaction» que tu ne veux pas montrer en public?
Beuh! J'ai pas de contrôle là-dessus!
Que je répondais

Nous l'appelerons: ALBERTE!
Alberte?!
Oui! En hommage à Albert Camus!
Il n'en est pas question!
Euh... Trop tard.
J'ai déjà fait faire les papiers!

Après l'accouchement, ton père est devenu comme fou.
Amène-la moi...

Il refusait que je t'approche.
C'est l'heure du sein.

NON! Le sein, c'est trop stéréotypé.
Tu ne pourrais pas lui donner le coude ou le genou à la place?

J'en ai rapidement eu assez...

Chère Alberte,
on se revoit bientôt,
je te le promets.
Ta maman qui t'aime
XXX

Je suis alors partie pour la métropole. Triste, mais libre.

Je voulais gagner rapidement ma vie pour réclamer ta garde.

Malheureusement, le contexte économique de l'époque en a décidé autrement.
On vous rappellera.

Il n'y avait d'embauche nulle part.

La jarretelle joyeuse
DANSEUSES NUES
DANSEUSES DEMANDÉES

S'il y a un endroit qui a besoin d'une approche féministe, c'est bien ici...
DANSEUSES DEMANDÉES

Ce devait être temporaire, mais peu à peu, je me suis intégrée à l'univers des danseuses nues. J'en suis même venue à aider les filles en difficulté...

Avec ma fuite et mon métier, ton père a facilement obtenu ta garde exclusive.

Mais qu'est-ce que ce juge connaît vraiment à ce métier pour rendre son verdict?...

Hey! T'as vu? Maintenant ils font des isoloirs portatifs...

ALBERTE!
Merde... mon père.

Comment t'as fait pour me retrouver?
Je me doutais bien que tu viendrais ici.

Et puis j'ai trouvé une confirmation sur la route.

À bientôt, ma chouette! Je crois que c'est mieux que tu retournes chez ton père.

Bon!

BRAVO À MADEMOISELLE VANESSA QUI NOUS REVIENDRA D

La Cariole du Stupre
EROTICA
XXX
XXX
KITTY
RASPOUTINE
VIDEO XXX
PEEP SHOW
SEXE
NUES
RASPOUTINET

C'est bizarre, j'ai comme une rage de jouer au aki...

Moi!? Au sommet de la pyramide! C'est tout un honneur.

Est-ce que je vais avoir un drapeau de l'école ou quelque chose comme ça?

En fait, la direction de l'équipe aimerait que tu portes ceci...
COLLÈGE DEGRAZI

On dirait que les secondaire V ont un oeil sur toi.
C'est qu'ils fantasment à l'idée de remplacer le panier de basket.
Les obsédés.

?!

Wow!

PAF

2-0 POUR NOUS!
ça compte pas!
Un filet c't'un filet!
Ne plus traverser le terrain de sport...

SI VOUS N'ARRÊTEZ PAS DE REGARDER, JE VOUS POURSUIS TOUTE LA GANG!

CRRR

AAAAHAAAAAAAAA
Bonsoir!

Ben quoi?!
OUIJA
B

Je me suis fait les jambes pour la première fois aujourd'hui.
Et moi les aisselles.

Moi je me suis fait le maillot.

Pff... Je peux bien raconter n'importe quoi!
ouch!
ça doit faire mal!

Au chalet de ma cousine, j'ai pu bronzer sans avoir de marques de soutien-gorge!

Il y a pire qu'une marque de soutien-gorge...

Il y a le motif «passoire à spaghettis»!

Les couleurs...
Les odeurs...
La musique...
La beauté des gens...

Tout est tellement parfait...

C'est la poésie des centres commerciaux qu'ils devraient nous imposer à l'école...

Mais qu'est-ce que vous avez aujourd'hui?... Vous ne voulez plus être mes amies?

SEXY CHICK
SEXY CHICK
Rien à faire! Les jupes lignées ne me font pas.

Lingerie
M. Lëtourneau?

Ah... Salut
Alberte...
ingerie
Qu'est-ce
que vous
faites ici?

J'adore ce rayon...
ngerie
Ça me
fascine.
beurk...

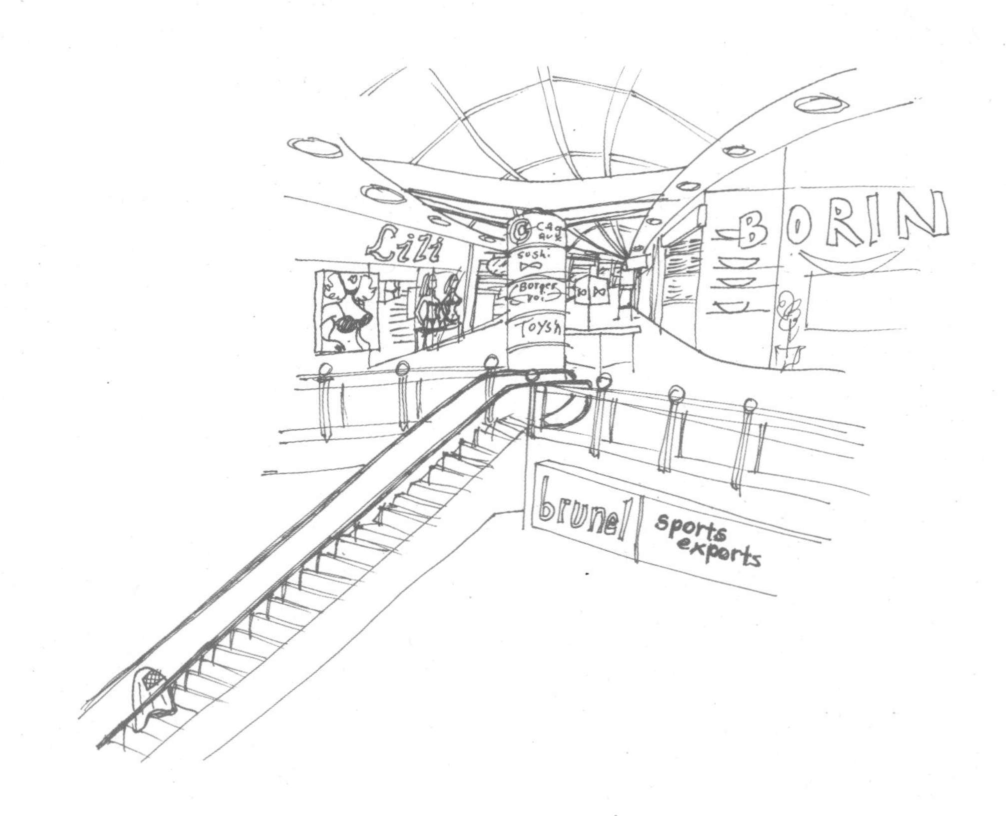
Lizi
BORIN
Toys'n
brunel
sports
exports

LE PALACE
Êtes-vous sûres qu'on va entrer?

BOUM
TCHIC
BOUM

BOUM
BOUM
JOYEUX NOUVEL AN CHINOIS À TOUS
TCHIC
TCHIC

TCHIC
BOUM
Croyez-vous qu'ils ont une tête de dragon sur leur fausse carte?

ENFIN! On a pu entrer au «Palace»!

Ici, je laisse faire la couverture...
Euh... Alberte...

Il va peut-être falloir que tu la remettes...

PAPA?!

PAPA!
Alberte?!

Je ne vois pas en quoi ta rigueur intellectuelle est différente de la mienne.

Alberte, je suis très déçu.

Entrer dans un bar à quatorze ans, et sans ta burqa.

C'est peut-être un signe que tu es trop vieux pour ce bar!

Ben alors, tu me laisses toute seule, mon lapin?

Tiens, salut, Alberte! On se voit demain au cours de math!

Tu ne m'as pas dit que tu avais dix-huit ans, toi?
Mais oui... Mais oui...

C'est bizarre... Aucun gars n'est venu nous parler.

Pourtant, on est particulièrement belles ce soir.

Ou particulièrement belles de l'intérieur...

Hum... Je n'ai même pas l'impression d'être la plus étrange ici.

POURQUOI TU VOULAIS RESTER AU BAR?

POURQUOI TU «CRUISAIS» UNE COPINE DE CLASSE?

ET POURQUOI DANSES-TU AUSSI MAL?

Pourquoi tu m'obliges à porter un voile? Pourquoi tu ne m'acceptes pas comme je suis?

ALBERTE!
ÇA SUFFIT AVEC TES QUESTIONS!

Je te signale que c'est toi qui veux que je me questionne plus.

Il paraît que le nouvel élève algérien est ton voisin?
Oui!

Bonjour, Alberte!
Allô, Kader!

Dire qu'il y a des gens contre l'immigration...

...98...99...100... Prêts, pas prêts, j'y vais!
?

ALBERTE EST SOUS LA BURQA!

Maintenant tu peux sortir de ta cachette!

Tu n'as pas l'air de bien aller.

À quoi tu vois ça?

Tu es toute fripée!

J'aimerais tellement parler avec quelqu'un dans la même situation...

QU'EST-CE QUE...!!

Maintenant, je suis exactement dans la même situation.

baisers
becs
bisous

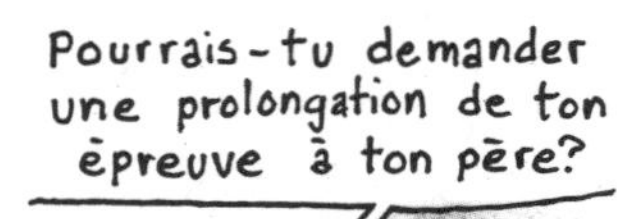
Pourrais-tu demander une prolongation de ton épreuve à ton père?

POURQUOI?

Je resterais toute ma vie comme ça!

Tiens?! J'ai du courrier!

CHÈRE ALBERTE,
NOUS AVONS L'HONNEUR D'AVOIR RETENU VOTRE CANDIDATURE POUR PARTICIPER À LA 5e SAISON DE «L'ÉCOLE DES VEDETTES», L'ÉMISSION DE TÉLÉ-RÉALITÉ DE L'HEURE QUI BLA BLA BLA...

Youpi! Tout le monde va me connaître!!

...Notre animatrice-vedette, accompagnée d'une équipe télé, ira chez vous pour vous l'annoncer en personne..
S.V.P. FEIGNEZ LA SURPRISE!

Tu as eu du courrier?
Non! Non!

Ça va en faire au moins un de vraiment surpris.

TOC! TOC!
?
?

Bonjour, Alberte! Quel effet ça fait d'être une future vedette?

Une future vedette qu'on surprend au sortir de la douche, si je comprends?

... L'école des vedettes... Est-ce que c'est ce genre d'émission où on filme les gens 24h sur 24?
Exact! Vous devez être fier de votre Alberte!

oui! oui!... euh... très fier...

Euh!... Alberte! Tu peux arrêter de jouer à la femme afghane maintenant!
La télé est là!
Hé! Hé! Je le tiens!!

Première journée à l'École des vedettes.
Tout le monde est fébrile, mais un peu timide.
Certaines plus que d'autres.

Wow! Ma première journée à l'école des vedettes.

Il faut que je les éblouisse dès le départ avec mes talents.

ET VOICI ALBERTE, QUI NOUS ÉBLOUIT DÉJÀ EN SE DRAPANT DE MYSTÈRE!

Bonjour, mes petits loups. Je suis le directeur académique de l'École des vedettes.

Je suis aussi le directeur artistique, le producteur et le réalisateur de l'émission.

JE décide donc du bon goût du pays!

Oh! Vous lisez les critiques de la première émission! Est-ce qu'ils parlent de moi?

ILS PARLENT JUSTE DE TOI!!

Éclipse
Une burqa à l'École des vedettes
LA LEÇON
LE MULTICULTURALISME VA TROP LOIN
Loto: 362436
Température: 50°C
Humidex: 75°C
Le Journal du village
SCANDALE: LE VOILE FAISAIT COMME UNE SOURDINE
ON ENTENDAIT RIEN!!

Ahhh! Félicitations, mes chatons!

C'est un départ en lion pour cette saison.

Surtout grâce à notre petit oiseau en cage!

Que répondez-vous à ceux qui critiquent la présence d'une adolescente voilée dans une émission de variétés?

Je dirais que le talent ne se mesure pas à la longueur de la jupe.

Mais le succès... oui.

Comment va le montage?

Bien, mais on voit beaucoup trop Alberte.
Et alors?

Avec son voile, elle cache tous les placements de produits.

Et surtout à piquer 15% d'auditoire mâle à l'émission concurrente : « Douze dociles donzelles ». Héhé !

Si tu veux devenir une star, il faut absolument que tu abandonnes cette chose horrible.

...Je sais, mais mon père insiste beaucoup pour que je porte ce drap.

Non! Je parle de ton nom. Alberte, c'est vraiment affreux.

Est-ce que c'est vraiment nécessaire?
Alberte, nos sondages indiquent que les gens VEULENT voir ce qui se passe sous ton voile.
Tu ne veux pas décevoir ton public, n'est-ce pas?

Ça va? Tu as l'air déprimée.
J'aimerais ça pouvoir me démarquer davantage.

Je ne suis pas «bitch» comme Monica, ni exhibitionniste comme Jonathan.

Et je ne fais pas partie d'une minorité aussi visible que toi!

Qu'est-ce que tu regardes?
Nos statistiques.

J'ai une moyenne d'apparition hebdomadaire de 20%...
Mais c'est très bon.

Et 95% de mes apparitions télé se font quand je sors de la douche.

CETTE SEMAINE, VOUS DEVREZ ÉLIMINER SOIT:
MONICA,
ALBERTE
...OU JONATHAN
Bon bien, je vais jouer le tout pour le tout!

Je suis certaine d'être la finaliste.
Pourquoi?

C'est évident que j'ai la plus belle voix...

Peut-être, mais moi je fais plus pitié!

D'un côté, les enragés qui veulent m'enlever ma burqa.

De l'autre, les deux organisateurs en qui je n'ai aucune confiance...

...Au moins c'est de circonstance que j'aie à chanter «Au secours, j'ai besoin d'amour».

Est-ce qu'on ne devrait pas intervenir?
Attends... C'est le moment le plus réel qu'on ait eu jusqu'ici!

Alberte, j'ai tout vu à la télé.

Heureusement, je t'ai préparé une nouvelle burqa, plus résistante.

BWEAA

Une semaine... Ils ne m'ont gardée qu'une semaine.

«On n'a pas eu le choix...» Qu'il a dit le crétin de producteur...

«Ou on te perdait après une semaine, ou on perdait les assurances.»

SORTIE
DES
ARTISTES

Au moins il me reste mon animateur radio préféré...
BEYONCE

...Hier soir, Alberte s'est fait éliminer de l'École des vedettes.
BEYONCE

...On se rappelle que c'est la concurrente qui doit se cacher entièrement en raison de ses choix musicaux désastreux!
HA! HA! HA!

De toute façon, une terroriste n'a pas sa place dans ce type d'émission.

Pourquoi elle serait une terroriste?
BEYONCE

Toutes les filles qui ne s'habillent pas pour avoir le cul pis les boules moulées font du terrorisme visuel...
ARH! ARH! ARH!

Mais il paraît que c'est son père qui l'oblige à s'habiller comme ça!
BEYONCE

Si c'est vrai, il faut saluer le courage de cet homme...
BEYONCE

Peu de pères ont les couilles d'admettre la laideur de leurs enfants et d'y remédier...
HAAAA
HAA

On prend un premier appel.
Oui bonjour!
BEYONCE

Moé, ça l'a pas d'allure de comment que ça m'enrage des affaires épaisses de même.
BEYONCE

Moi, c'est votre syntaxe qui m'enrage...
HA! HA! HA!

Deuxième appel.
Moé j'pense que

MENTEUR! CRÉTIN! TARÉ!!

Si vraiment vous étiez capable de penser, vous n'appelleriez pas ici.
BEYONCÉ

Dernier appel!
Je vous trouve très dur envers le père...

Tout ce qu'il fait, c'est d'essayer de rendre sa fille plus branchée sur les réalites mondiales d'aujourd'hui...

...Car il apparaît évident que votre émission ne peut s'en charger.

Bienvenue à «Tout le monde en parle».

Nous recevons le père de la jeune Alberte, qu'il oblige à porter la burqa.

Quelqu'un aurait-il une première insulte à formuler?

Tout ce que je demande, c'est qu'on me laisse poursuivre cette expérience.

Si je réussis, Alberte deviendra une citoyenne conscientisée.

Et si vous échouez, deviendra-t-elle représentante en tentes de camping?

Euh Guy...
j'ai une carte pour le papa recouvreur.

«Vous êtes un minable.»

...Je crois que vous avez oublié le second degré.

Tiens, Roxanne n'est pas encore arrivée.

Salut, Alberte.

Je crois que je vais interdire à mon père de fréquenter le tien.

C'est comme Alberte, mais en pire...
Comment ça?

Elle n'a même pas le mérite d'être originale.

Ton père ne te force plus à porter une burqa?
Non!

Comment tu as fait?

Ma mère est revenue de vacances.

Tu es sûr que notre plan est bon?

Certain!

En plus, mon collier de barbe me donne vraiment l'air d'un extrémiste!

Papa, voici Kader, il est Algérien.
?
Salaam haleiKoum!

Je suis venu vous demander la main de votre fille!
BOUM

Et on n'a même pas eu le temps de discuter de la dot.

Vous n'êtes pas un peu jeune pour vous marier?

Ici oui! C'est pourquoi nous devons partir la semaine prochaine pour l'Iran.

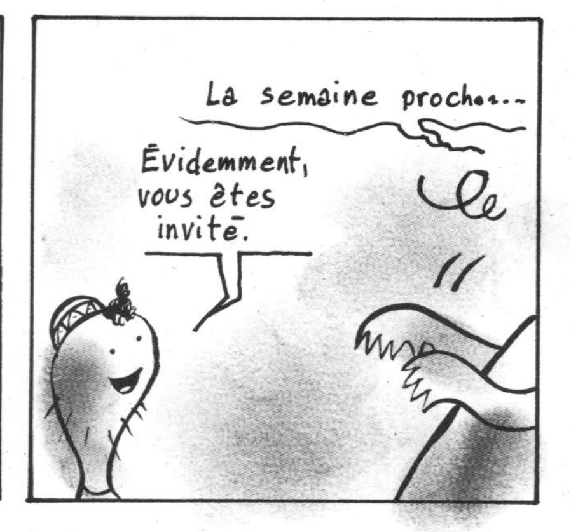
La semaine proch...
Évidemment, vous êtes invité.

On devrait lui dire que c'était une blague maintenant.

Attends...

Laisse-moi savourer.

Agence de voyages
IRAN
VOY

J'arrive pas à croire que je supporte ça.

On dirait que j'ai peur de décevoir mon père.

Alors que lui-même me déçoit sans arrêt.

Je me souviens quand tout ça a commencé.

C'est bien beau «Boucle d'or», mais il faut aussi connaître Voltaire.
VOLTAIRE
CANDIDE

Résultat: Je n'ai jamais su qui dormait dans le lit de bébé ours.

Si au moins il avait pris la peine de m'expliquer tout ça.

Le Nord exploite le Sud, qui prépare une révolution armée financée avec l'argent de la drogue vendue aux Capitalistes bourgeois!

La vie a l'air quand même plus simple dans «Adorable».

Encore 1 pas et j'enlève ce drap une fois pour toute...

Encore -1 pas et j'enlève ce drap une fois pour toute...

Bienvenue à ADO j'écoute.

Malheureusement, dû à des coupures de budget...

Notre département «relations père-fille» a dû cesser ses activités.

Là... Vraiment... je n'ai plus envie de rien.

Non... Vraiment rien.

J'aurais tellement envie de quelque chose de nouveau...

Aujourd'hui, je vais vous apprendre à coudre un sac!

Grmblgrblgmr... ça fait six mois que je vis dans un sac.

DOUGOUDOUGOUDOU, GOUDOUGOUDOUGOU DOUGOU SKRAK

GRLMBRGLMG

...

Madame, en plus du sac j'aimerais pouvoir faire un

SNIF
?

Ça fait six mois que je rêve d'un moment pareil...

Maintenant, à nous deux, papa!

Je n'aurais jamais cru que l'école pouvait être vraiment utile...

Allô, Papa!
Mmmh... salut.

C'est joli ton nouvel ensemble.

OÙ EST TA BURQA?

Dans ma robe, mes bas, mon sac et mon bandeau!

Tout est là sauf le fil de ta connerie!

Je suis TRÈS fâché que tu discutes mon autorité.

Ton autorité est tellement irresponsable que c'est mon devoir de m'y opposer!

Merde... Elle a lu La Boëtie en cachette...
Euh...

Te révolter par le biais de la mode c'est tellement...

tellement...
tellement...

Tellement MOI! Veux-tu dire?

ET LE GRILLAGE?! OÙ TU AS MIS LE GRILLAGE?

Qu'est-ce que?...

Euh... Alberte... Rhabille-toi s'il te plaît...
j'ai compris.

Un incompris, voilà ce que je suis.

Tellement que...

Moi-même je ne suis pas sûr de comprendre tout ce que je fais.

Je crois que cette fois il a compris.

J'espère qu'il va me laisser un peu tranquille...

Au moins jusqu'à demain matin...

Finis mes rêves, finie la reconnaissance, finie la célébrité...

Fini mon bar aussi.

Fini le voile, finies les insultes, finie l'incompréhension.

Et si je comprends bien ma mère dans cette lettre reçue aujourd'hui...

C'en est aussi bientôt fini de la vie avec mon père.

Et si je

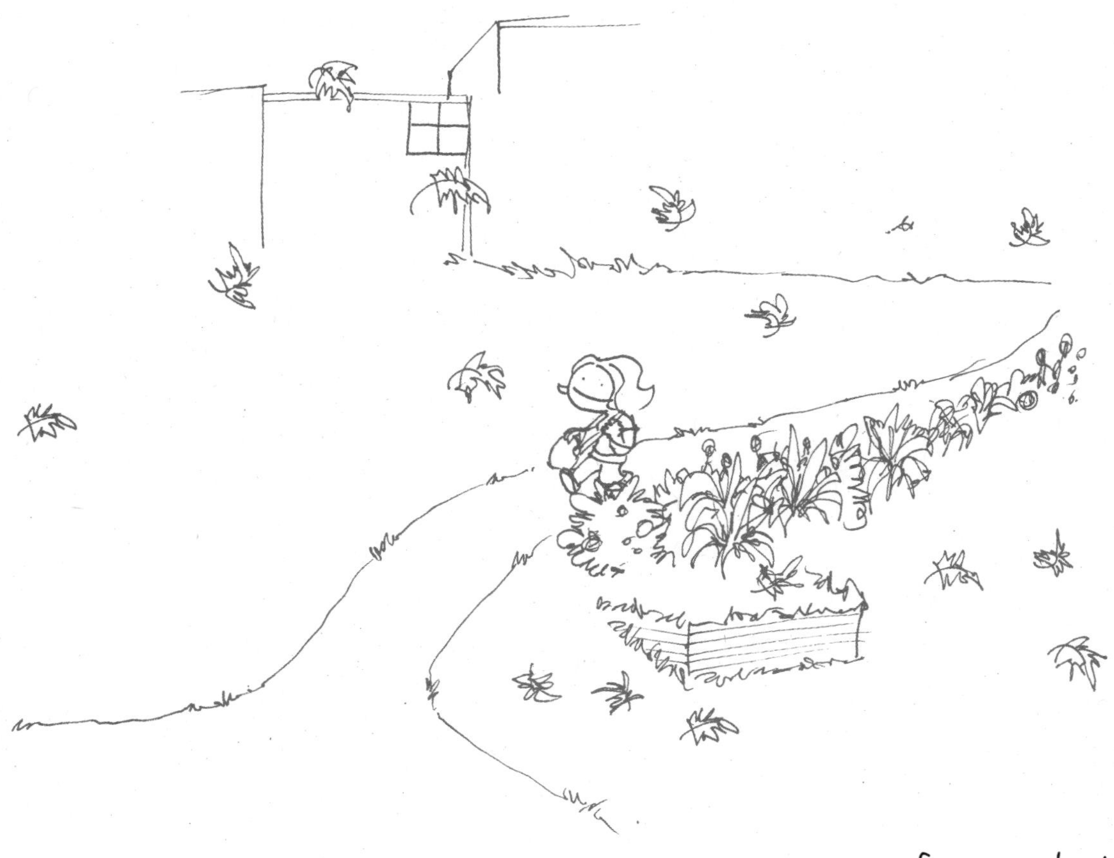

francis desharnais

DU MÊME AUTEUR

bandes dessinées :
- Série « **Les grands de ce monde** », dans le journal *Quartier Libre* (2007)
- Série « **Lock Story** », dans le journal *Quartier Libre* (2006-2007)
- « **La (télé) réalité, y'a que ça de vrai !** », dans *Cyclope, opus 3 : Plan cartésien* (mécanique générale, 2006)
- « **On joue aux réfugiés** », dans *Terriens, planches contre le racisme* (mécanique générale, 2006)

films :
- **Rumeurs**, 6 min 30 s, dessins sur papier (production de l'Office national du film du Canada, 2003)
- **Zdogle**, 6 min 42 s, vidéo d'animation (co-production le groupe Kiwistiti et la Bande vidéo, 1999)
- **C'est en revenant du Congo**, 2 min 49 s, vidéo d'animation (production Anima-Son, 1998)

[strips] Les 400 coups